나의 시
너의 이름

김황제 지음

나의 시, 너의 이름

발　행 | 2023년 12월 28일
저　자 | 김황제
펴낸이 | 한건희
펴낸곳 | 주식회사 부크크
출판사등록 | 2014.07.15.(제2014-16호)
주　소 | 서울특별시 금천구 가산디지털1로 119 SK트윈타워 A동 305호
전　화 | 1670-8316
이메일 | info@bookk.co.kr

ISBN | 979-11-410-6258-3

www.bookk.co.kr
ⓒ 김황제

나의 시
너의 이름

김황제 지음

CONTENT

첫 도전이자, 첫 시집인 "너를 생각한 시간"은 지난날의
제 모습과 추억들을 생각하며 유치하게 썼다면,
두 번째 시집인 "나의 시, 너의 이름"은 첫 도전을
발판 삼아 제 생각과 시선, 감정들이 담긴 시와,
여기에 더해 많은 이야기를 가진 사람들의 이름으로
시들을 담아내려 노력한 시집입니다.

이 책에 담긴 시를 통해 제 생각과 감정, 다른 사람들의
이야기가 모두에게 전해지길 바랍니다.

모든 사람들의 이름이 따뜻한 마음으로 불리길
바라며 이 책을 통한 수익금 전액은 기부합니다.

제 1 장

나의 시

석송령

우리 아가 우지 마라
배고픔에 울지 않고
잔병치레하지 않게
석송령아 지켜다오.

천재지변 일어나도
내가 너를 지킬 테니
우리 아가 안 다치게
석송령아 지켜다오.

무럭무럭 자라나서
다 큰 어른 되었을 때
우리 아가 나 대신해
너를 계속 지킬 테니
우리 아가 영원토록
석송령아 지켜다오.

무궁화

시들어 꺾인 무궁화 한 송이
어찌 너를 놓겠느냐.

내 눈물 쏟아 꽃피울지니
활짝 고개를 들어다오.

이 한 몸 죽을지언정
너만은 줄기 곧게 세우리다.

간악한 속삭임에
꽃잎 흔들려 떨어지지 아니하고

나를 거름 삼아
연분홍 환한 미소 피워다오.

무지개

따뜻한 봄비 아래
빨주노초파남보
서로 다른 색이 껴안아
일곱 빛깔 꽃피우는 무지개
레인보우, 니지, 차이홍
불리는 건 다르지만
모두 같은 무지개
서로서로 껴안아
아름다운 꽃피우자.

덕암(德巖)

신이시여,

휘몰아치는 폭풍우
쉴 새 없이 흔드는 파도가
내 눈과 정신을 흐리게 하여도
두려움에 흔들리지 않게 하소서.

간악한 속삭임에
세상이 어둠에 갇혀도
이 한 몸 불태워 어둠을 거두리니
지혜의 눈을 뜨게 하소서.

죽을지언정 나라를 지키기 위해
비명과 고통에 떨지 않고 맞서 싸워
적에게 등을 보이지 않게 하소서.

차디찬 바다의 울부짖음이
적들을 두렵고 혼란케하여
부족한 우리를 승리로 이끄소서.

키 큰 나의 할머니

호기심 가득한 5살, 비만 오면 처마에 서서
할머니를 부르며 연신 노래를 부르곤 했다.
나의 옆에 앉아 박수를 치시던 할머니는
고개를 살포시 올려야 얼굴을 볼 수 있었다.

많은 것을 보고 배우던 11살, 어둑한 밤하늘
빛나던 반딧불이를 잡으려 뛰어다니면
가만히 오므린 양손을 내게 펼쳐
노오란 빛을 선물해 주시던 할머니는
나란히 옆에 서도 얼굴을 볼 수 있었다.

매일 학업에 시달리던 18살, 요양원에서
기억을 잃고 앞도 보지 못하시는 상태로
집에 가고 싶으시단 말씀만 되뇌던 할머니는
어느새 고개를 내려다보아야 볼 수 있었다.

고등학교를 졸업하고 대학생이 되던 20살,
병원에서 마지막 숨을 헐떡이시며
찾으시던 손주.

끝까지 나를 찾으시던 할머니의 마지막 모습은
작고 왜소하며 내 절반 정도의 키밖에 되지
않으셨다.

밤하늘 별이 되신 할머니가 그리워
오늘 밤도 나는 다시금
5살 어린 손주가 되어
고개를 올려다본다.

연탄재

찬바람 휘감아 춥던 어느 날
내게 의지한다 속삭이며 안겨
포근히 눈 감던 그대

그런 그대를 위해 내 몸 불태워
추위 속 따스한 햇살이 되었으나
그대는 날 잊은 채 다른 님 찾아가시네

온 힘 다해 그대만을 챙겼건만
발길질만이 전봇대 밑 버려진 나를 반겨주네

서럽고 서러운 인생이야
이로 말할 수 없다지만
덧없는 미련은 무엇인가

한 줌 재가 되어도 나를 찾던
님 그리워 떠나지 못하니

찬바람에 나를 맡겨
흩날려 사라진대도
그대에게 갈 수 있다면
다시 내 몸 못 불태울까

구봉대산

외진 곳 홀로 있는 산
오를 길마저 없어
한 걸음 내딛기도 두렵구나

누구도 오르지 않은 너를 품고 싶어
한참을 걷고 걸어도
정상을 보여주지 않는 너는
끝을 알 수 없는 시간과 닮아 있구나

힘준한 고개와 무성한 풀들이
내 앞을 막으니 좌절과 인내의
고통이 나를 옥죄어오네

잠시 불어오는 산들바람
이내 또다시 내딛는 한 걸음

마침내 너를 내 발아래 품으니
너는 아직 관망봉일 뿐이구나

내가 품으려던 것이
산이 아닌 인생이었나
다 품은 줄만 알았던 너를
조용히 다시 걷는다

아버지

고난과 고통의 길을 걸어
마침내 그 길의 끝에 섰을 때
맞이한 무지개

그 빛이 걸어온 길을 비추니
나를 덮었던 무력함이
사라진다

혼자가 아니었음을
깨달음이라

오늘도 나는
내일도 또다시
외롭지 않은 고난과 고통의 길을
걷고 걷는다

밤하늘

혹시나 그대 저를 위한
어두운 밤하늘이 되셨나요

저는 오늘도 밤하늘 당신이
그리워 올려다봅니다

손 닿을 수 없는
그대이기에
사랑한다 말할 수 없는
당신이기에

나를 잊지 않기를 바라고
내가 잊지 않기를 바라기에

흐르는 눈물에 또다시
밤하늘이 젖습니다

사막

어른이 되고 싶던 지난날
모든 걸 할 수 있을 거란 상상

그토록 바라왔던 어른
삭막한 인간관계
그 속에 자리 잡은 인색
모든 게 시들고 메말라 버린 사막

내가 했던 상상은 오아시스를 꿈꾸는
한낱 신기루였을까

가로등

어스름한 골목길
너를 두고 돌아오는 이 길에
우두커니 자리를 지켜 밝혀주는
한 줄기 가로등 불빛이
나를 기다려주어 고맙고
흐르는 눈물을 비춰 야속하다

가을이 지나 겨울이 오고 있는
이 골목길 가로등 불빛을 지나면
내 기억 속 저 멀리 흩어져 갈 너

잠시 가로등에 기대어
걸어온 길을 되돌아보니
또다시 눈물이 흐르고
밝게 비추던 불빛이 이내 꺼지며
어둠이 나를 감싸 안는다.

인생

흙바닥 속 작게 피어난 꽃 한 송이
다른 꽃과 비교하지 마라
지난겨울 차디찬 흙 속에서
그 혹독한 추위를 버텨냈고
비록 작디작은 꽃이라 할지라도
그 꽃내음은 여느 꽃에 뒤처지지 않으니
작고 가여운 꽃이라 한들
비교하거나 욕하지마라
떨어지는 낙엽이라 무시하지 마라
한때는 푸른빛 생기 가득한 잎이었고
지금은 비록 말라 떨어진 잎이라 할지라도
등산객들의 발걸음에 가을소리를 들려주고 있으니
제아무리 힘없이 떨어진다 한들
비웃거나 무시하지 마라
누구에게나 겨울은 올테니

다시 한 번

달빛이 내린 언덕 위로
소리 없이 떨어지는 별빛
외로움 속 한 줄기 빛이
내 옆에 앉아 밝히니
아직 혼자가 아님을

혼자가 아니기에 다시 떠오를
해를 기다릴 수 있음을
그리고 맞이한 아침 햇빛이
세상을 밝혀주니
포기하지 않으리란 다짐이
깊은 잠에서 깨어나네

당신을 만나러 가는 길

당신을 만나러 가던 12월 겨울
이상하리만큼 따뜻하던 그날

늘 포근히 안아주던 당신은
제가 당신께 가는 것을 이미 아셨던 건지
그날은 그리도 따스할 수 없었습니다.

제 마음 한곳이 무겁고 추웠던 것을
알고 계신다는 듯
따뜻한 봄날처럼 활짝 웃음꽃 피우며
오라고 하시는 듯

당신을 만나러 가는 길이
이처럼 따뜻하고 편안할 수 없었습니다.

그렇게 만난 당신은
왜 차디찬 항아리 속에 웅크리고 계신가요.
왜 이전처럼 저를 안아줄 수 없는 건가요.
왜 그렇게 아무런 말이 없는 건가요.

이젠 정말 만날 수 없는 건가요.
다시 한번 저를 안아주실 수 없는 건가요.

이런 제 마음을 또 느끼고 아셨는지
차가워진 두 뺨마저 뜨거운 눈물로
달래주시는 당신

당신을 만나러 가는 길이
저에게는 늘 따뜻한 겨울입니다.

이별

네 사람이라고 믿었고
네 것이라고 생각했었기에
더 이상 사랑하지 않았던 걸까.

너는 내가

가까이 있었기에
멀어질 수 있음을 몰랐고

너만을 바라보았기에
다른 곳을 볼 줄 몰랐으며

어떤 모진 말도 들어주었기에
더욱 심한 말들을 쏟아냈다.

화내고 짜증내고 울던 나는
어느 순간 감정이 없는 사람처럼
너의 모든 말과 행동에
아무런 표현도 나오지 않았고
그렇게 너를 지워낼 수 있었다.

그렇게 너를 떠나려는 나에게
네 잘못을 이야기하지만
너는 아무런 잘못이 없어.

나는 너를

있는 그대로 받아줄 사람이 아니였던거지.

제 2 장

너의 이름

정시우

정말 많은 은하수 속 별들이

시샘하고 질투하는 찬란한

우리 작은 별, 늘 밝게 빛나리.

이승희

이기적인 세상 속에서

승첩만을 바라며 걷다 보니 어느새

희미해져버린 내 모습, 더 이상 밝힐 수

　　없네.

* 승첩(勝捷) : 싸움에서 이김

박시현

박꽃처럼 어둠 속에서

시들지 않고 하얗게 피어

현야를 밝혀주는 빛이 되길.

* 박꽃은 오후 5시~6시쯤 꽃이 피고, 다음날 새벽이나
아침에 꽃이 시든다.
* 현야(玄夜) : 어두운 밤

한채아

한야 속 활짝 핀 꽃 한 송이 시샘해

채적하여 생채기를 내어도

아름다움은 변함없으니, 그 꽃의 이름은

　　한채아.

* 한야(寒夜) : 몹시 추운 겨울밤
* 채적(採摘) : 잎 따위를 따다

신애경

신미하고 사랑스레 피어난

애경꽃, 볼수록 그 아름다움이

경이롭고 눈부시구나.

노은솔

노란 유채꽃과, 분홍빛 벚꽃 벗 삼아

은솔꽃 피어나니 싱그러운 꽃향기

솔솔바람 타고 향긋 미소 짓는구나.

* 솔솔바람 : 부드럽고 가볍게 계속 부는 바람

김한나

김한나, 11월에 뜬 작은 별

한없이 깊고 어두운 밤하늘 속, 더할

나위 없이 밝고 아름다운 별.

전상표, 임아리

전가온, 전하온에게

상현달 비추던 날 찾아온 사랑들

표현할 수 없을 만큼 기뻤단다

임당 속 밝은 달이 숲속을 껴안듯

아빠, 엄마는 너희를 위해 가슴속

리시안셔스 한 송이 꽃피울게.

* 임당(林塘) : 숲속의 연못
* 리시안셔스의 꽃말은 '변치 않는 사랑' 이라고 한다

원태연, 신영혜

원아율, 1월에 피어난 꽃

태가한 자태

연분홍 미소가 아름다워 볼수록

신미한 꽃,

영원히 시들지 않도록 엄마, 아빠는 너의

혜등이 될게.

* 태가(太佳)하다 : 매우 아름답다

* 신미(信美)하다 : 참으로 아름답다

* 혜등 : 빛이 없는 어둠을 깨뜨리는 지혜를 이르는 말

도연성, 배다현

도라지꽃 꽃말처럼

연인으로써 변치 않는 사랑으로

성월야 아래 서로를

배념하고 아껴주며

다투지 않고, 가장

현요한 사랑을 꽃피우리.

* 성월야(星月夜) : 별빛이 총총한 밤
* 배념(配念) : 같이 염려하거나 마음을 써 줌
* 현요하다(眩耀하다) : 눈부시고 찬란하다

류연수, 강언남

류연수, 강언남 두 손 맞잡고

연메하며 밤하늘에

수놓은 사랑,

강월이 흐르는 물결에도 강물을 껴안듯

언제 어떤 어둠이 다가와도 서로의 곁에

남아 밝게 빛나는 사랑을 수놓길.

* 연메(連袂): 나란히 서서 함께 가거나 옴
　　　　　　　행동을 같이함
* 강월(江月) : 강물에 비친 달

황일연, 박명숙

황사바람 몰아쳐도 봄비에

일곱 빛깔 무지개 웃음꽃 피우고

연분홍 철쭉, 황사를 비웃듯이

박암이 드리운들

명월이 우리를 비추어

숙기가 가득한데 무엇이 두려우랴.

* 박암(薄暗) : 어두울락 말락 할 정도의 어둠
* 명월(明月) : 밝은 달
* 숙기(淑氣) : 이른 봄날의 화창하고 맑은 기운

황인용, 박아름

황홀한 축복 아래 각자의

인생에서 하나가 되어 같은 길을 약속하며

용기 있게 한 발짝 내디딘 우리

박꽃이 어둡고 두려운 밤하늘을

아름다운 빛으로 밝혀주고 지켜주듯

름(늠)름한 서로의 박꽃이 되자.

* 박꽃은 오후 5시~6시쯤 꽃이 피고, 다음날 새벽이나
아침에 꽃이 시든다

박청원, 김보은

박야하고 아름다웠던

청춘에 서로를 만나

원 없이 사랑했고, 결실을 맺어

김보은의 신랑, 박청원의 신부로 서로의

보배가 되어 많은 시간이 흘렀지만, 여전히

은양지꽃 꽃말처럼 서로가 사랑스럽습니다.

* 박야하다(樸野하다) : 꾸밈없고 순박하다
* 보배 : 아주 귀하고 소중하며 꼭 필요한 사람이나,
  물건 따위를 비유적으로 이르는 말
* 은양지꽃 꽃말은 '사랑스러움' 이라고 한다

안병준, 이수연

안갯 속 흐림에도

병두련 활짝 분홍빛 웃음 지으니

준담을 가득 채우는구나.

이 깊은 연못, 발 닿지 아니하여도

수려하게 피어난 연꽃처럼

연메하며 당신과 함께 밝은 빛 채우리라.

* 병두련(竝頭蓮) : 한 줄기에 두 송이의 꽃이 나란히
피는 연꽃, 금실이 좋은 부부를 비유적으로 이르는 말
* 준담(濬潭) : 깊은 못
* 수려(秀麗)하다 : 빼어나게 아름답다
* 연메(連袂) : 나란히 서서 함께 가거나 옴
행동을 같이함

오병호, 박봄

오늘도, 그리고 내일도

병두련처럼 늘 곁에서

호기로운 병호를 사랑하고

박아로운 봄이를 사랑하며

봄 길, 벚꽃비만 맞으리.

* 병두련(竝頭蓮) : 한 줄기에 두 송이의 꽃이 나란히
피는 연꽃, 금실이 좋은 부부를 비유적으로 이르는 말
* 호기롭다 : 씩씩하고 호방한 기상이 있다
* 박아(博雅) : 학식이 넓고 성품이 단아함

김범준, 황은지

김범준, 황은지 두 손 맞잡고

범접할 수 없이 험한

준산에 올라 아름답고

황홀한 사랑을 심으니 피어난

은양지꽃 새싹 나은, 도윤

지금 모습 그대로 아름답게 꽃피우길.

* 준산(峻山) : 높고 험한 산

* 은양지꽃은 높은 산에 자란다고 한다.

김진수, 신효정

김진수, 신효정 결혼합니다.

진수와 효정이는

수없이 다가올 어려움을

신중히 서로 의논해 헤쳐나가고

효정이만을, 진수만을 사랑하고 의지하며

정말 그 어떤 부부보다 아름다운 부부가
　　되고자 합니다.

장백경, 백지영

장맛비 내리던 날, 사랑을 꽃피운

백경이와 지영이가 백년가약을 맺으려 합니다.

경험해 보지 못한 부부로서의 나날들이

백 배, 천 배 어렵고 힘들겠지만

지금보다 더 깊은 사랑으로

영원히 함께 헤쳐나가 보려는 저희를

　　축복해 주세요.

이준화, 정경진

이슬이 감싸 안는 일월, 두 손 마주잡은

준화와 경진이는

화사한 웃음 마음속에 품고

정성스레 꽃피워, 서로가 서로를

경애하고 아껴주며

진정으로 위하는 부부가 되고자 합니다.

김유진, 최원성

김유진 최원성은 다가올 어려움을

유연하고 현명하게 합심하여 대처하고

진실한 마음으로 서로를 위하는

최고의 남편과 아내가 되어보려 합니다.

원치 않던 일로 힘든 일을 겪게 되더라도

성숙한 모습으로 헤쳐나가 보려는 저희의
 앞 날을 빛내주시고 축복해 주시면 감사
 하겠습니다.

신동철, 변민경

신동주, 신동원에게

동주, 동원아 엄마, 아빠는

철부지 너희들을 언제나

변함없이 사랑한단다.

민망해할지도 모르는 이야기지만, 엄마와

아빠에게 찾아와

경이롭고 현요한 나날들을 선물해줘서

고맙고 사랑해.

* 현요하다(眩耀하다) : 눈부시고 찬란하다

이 책에 담긴 글이

보잘 것 없더라도,

이 책을 통한 나눔은
고귀하고 넘칠 것이다.